RILY

MAE'R LLYFR HWN YN EIDDO I:

_____

_____

_____

I Tereza a Cecilia, gyda llawer o gariad

Cyhoeddwyd gan Rily Publications Ltd, Blwch Post 257, Caerffili CF83 9FL

Hawlfraint yr addasiad © Rily Publications Ltd 2016

Hawlfraint y testun gwreiddiol © Petr Horáček 2003

Hawlfraint y lluniau © Petr Horáček 2003

Addasiad Cymraeg gan Mari George

Pan Wenodd y Lleuad

ISBN 978-1-84967-366-2

Cyhoeddwyd yn wreiddiol yn Saesneg yn 2003 dan y teitl
When the Moon Smiled gan Walker Books Ltd.

Mae Petr Horáček wedi datgan ei hawl yn unol â
Deddf Hawlfraint, Dyluniadau a Phatentau 1988
i gael ei gydnabod fel awdur ac arlunydd y llyfr hwn.

Cyhoeddwyd trwy drefniant gyda Walker Books Ltd,
87 Vauxhall Walk, London SE11 5HJ.

Cyhoeddwyd gyda chymorth ariannol Llywodraeth Cymru

Argraffwyd yn China

RILY

www.rily.co.uk

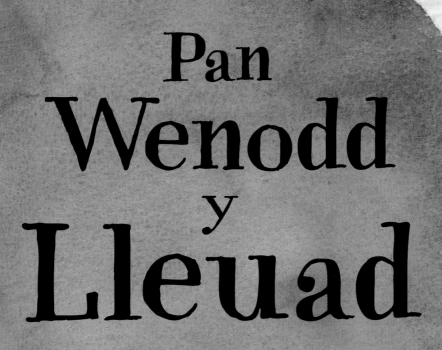

Pan Wenodd y Lleuad

Petr Horáček

Addasiad gan Mari George

Roedd hi wedi nosi ac roedd y lleuad yn yr awyr.

Edrychodd i lawr ar y fferm ond doedd hi ddim yn gwenu.

Sylwodd fod popeth wyneb i waered.

Roedd yr anifeiliaid oedd i fod yn cysgu yn rhedeg ar hyd y lle. Doedd dim sôn am yr anifeiliaid oedd i fod ar ddi-hun.

"Mae'n rhaid i mi wneud rhywbeth," meddai'r lleuad. "Mae'n bryd i fi oleuo'r sêr."

7

Felly goleuodd y lleuad y seren gyntaf.
"Mae'r seren hon i'r ci," meddai,

a dyma'r ci yn dylyfu gên a mynd i gysgu.

Goleuodd y lleuad yr ail seren.
"I'r cathod," meddai,

a dyma'r cathod yn ymestyn eu
coesau ac yn mynd i browlan.

"Mae'r drydedd seren i'r gwartheg,"
meddai'r lleuad,

a dyma'r gwartheg yn gorwedd a chau eu llygaid.

"Mae'r bedwaredd seren i'r ystlumod,"
meddai'r lleuad,

14

a dyma'r ystlumod yn gadael yr
ysgubor a hedfan i'r nos.

15

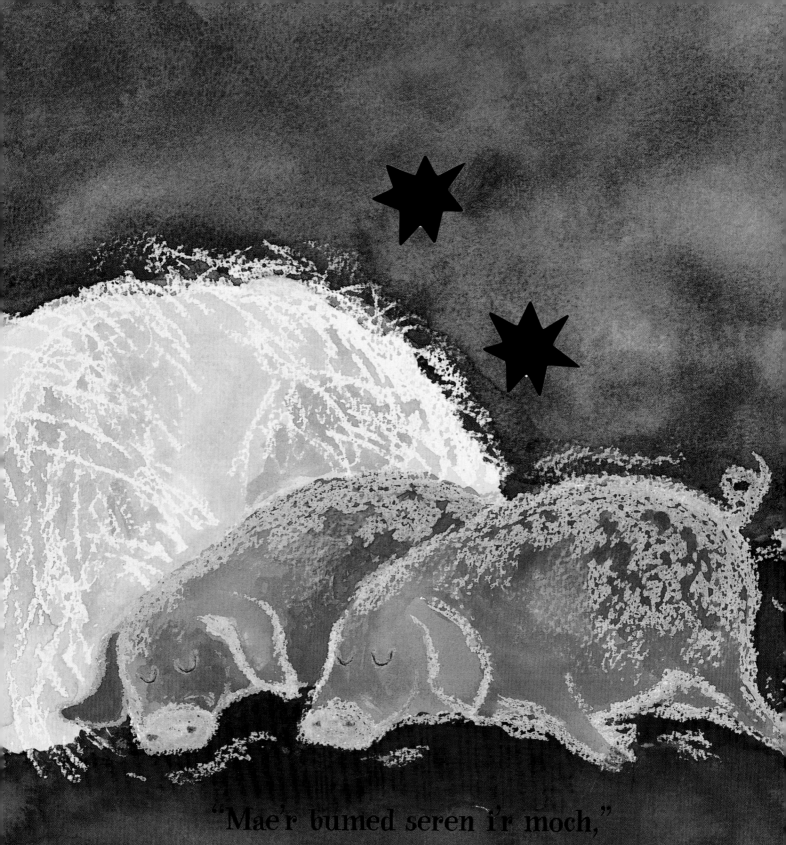

"Mae'r bumed seren i'r moch,"
meddai'r lleuad,

a dyma'r moch yn gorwedd
yn y mwd slwtshlyd.

"Mae'r chweched seren i'r llwynogod," meddai'r lleuad,

a dyma'r llwynogod yn ffroeni'r aer, yn barod i hela.

Wrth i'r lleuad oleuo'r seithfed seren,
dyma'r gwyddau yn rhoi'r gorau i'w clegar.

Roedd y fferm yn dechrau tawelu.

"Mae'r wythfed seren i'r llygod,"
meddai'r lleuad,

a dyma'r llygod yn dihuno
a rhuthro drwy'r gwellt.

"Mae'r nawfed seren i'r defaid,"
meddai'r lleuad,

a dyma'r defaid yn swatio yn dawel.

"Mae'r degfed seren i'r gwyfynod,"
meddai'r lleuad,

a dyma'r gwyfynod yn
dawnsio yn yr awyr dywyll.

O'r diwedd, roedd yr awyr yn llawn sêr
yn disgleirio uwchben y fferm.

"Dyna welliant,"
meddai'r lleuad, gan wenu.

Mae'r llyfr hwn yn rhan o'r rhaglen Pori Drwy Stori.
Nod Pori Drwy Stori yw ysbrydoli cariad at lyfrau, straeon a rhigymau a chefnogi plant oedran Derbyn i ddatblygu sgiliau rhifedd. Drwy Pori Drwy Stori mae BookTrust Cymru yn darparu adnoddau rhifedd a llythrennedd rhad ac am ddim i ysgolion i'w defnyddio pob tymor yn y dosbarth a'r cartref. Crëwyd yr adnoddau yn arbennig i gefnogi rhieni/gwarchodwyr i'w galluogi i gymryd rhan yn addysg eu plentyn.

Mae'r adnoddau'n cefnogi Fframwaith Llythrennedd a Rhifedd.

Caiff Pori Drwy Stori ei reoli gan BookTrust Cymru a'i ariannu gan Lywodraeth Cymru.

This book is part of the Pori Drwy Stori programme.
Pori Drwy Stori inspires a love of books, stories and rhymes and supports Reception-aged children to develop numeracy skills. Through Pori Drwy Stori, BookTrust Cymru supplies free literacy and numeracy resources to schools each term to be used in class and at home. The resources are especially designed to support parents/carers to play an active role in their child's education.

The resources support the Foundation Phase and the Literacy and Numeracy Framework.

Pori Drwy Stori is delivered by BookTrust Cymru and funded by the Welsh Government.

www.poridrwystori.org.uk